マイカルの

MYCHAL'S PRAYER

祈り

9.11
同時多発テロに
殉じた
神父の物語

中村 吉基

JN120998

あめんどう

この本を2001年9月11日アメリカ同時多発テロで
いのちを奪われたすべての人々に捧げます。

はじめに

　この小さな本は、2001年にニューヨークで起きた同時多発テロで犠牲となった、マイカル・ジャッジ神父の物語です。

　彼は、カトリックのフランシスコ会司祭として、またチャプレンとして助けが必要な人々のために生涯を捧げました。日本でチャプレンと言うと、キリスト教学校や病院などで働く司祭や牧師を指すイメージが強いですが、欧米などでは警察や消防署、ひいては軍などの公共空間や貧困層の中に入って働くことも多いのです。

　マイカルはとくに、不慮の事故で家族を失った人々の心のケア、ホームレス、エイズ患者、LGBTQの人々のために働きました。彼らと親しく付き合い、誰とも「壁」を作らず、むしろそれを乗り越える努力をしました。その後、ニューヨーク市消防局のチャプレンに就任することになります。

　マイカルは、社会の片隅に置かれたさまざまな人たちだけ

ではなく、数々の有力者やアメリカ大統領の「友人」でもありました。彼にとって、地位、身分、名声は関係ありませんでした。目の前の人々がすべて「友」だったのです。それは、彼の属するフランシスコ会創設者であり、彼が師と仰ぐアッシジの聖フランシスコの精神と重なるものでした。

マイカルが、さまざまな「現場」や、さまざまな人々のところへ出かける際に、必ず唱えていた「祈り」がありました。この祈りは人々から「マイカルの祈り」と呼ばれました。それはたった4行の祈りです。

主よ、あなたが行かせたいところに連れていってください。
あなたが会わせたい人に会わせてください。
あなたが語りたいことを示してください。
私があなたの道をさえぎることがありませんように。

この祈りを唱えて、あの日もマイカルは出かけていきました。「あなた（神）が行かせたいところ」、それは彼にとって同時多発テロの現場、ワールド・トレード・センター（WTC）だったのです。

　本書では、この「マイカルの祈り」の一行一行を、マイカルの足跡をたどりながらじっくりと味わい、ご紹介したいと思います。そして本書を読み終えたあと、願うことならば、マイカルの生涯をまとめることにもなるこの祈りを、私たちも祈ることができますように。そして、私たちを必要としている場所や人々のもとへとあなたや私が赴くことができますように。

　さて、私がマイカルのことを知ったのは、同時多発テロ直後の報道からでした。私は生前の神父に会ったことはありません。しかし同時多発テロの翌年2002年から、私は7回にわたってニューヨークを訪問し、「グラウンド・ゼロ」と呼ばれた爆心地、マイカルが居住した修道院と、その真向かいにある彼の働きの現場となった消防署、そしてグラウンド・ゼロに再建されたワンワールドトレードセンター、そしてそのかたわらにある国立9.11記念館・博物館（マイカルを記念した展示もあります）、彼をはじめとする犠牲者の名が刻まれたモニュメントなどを訪ね続けてきました。そして多くは彼についての著作をとおして、その足跡をたどっていきました。そう

しているうちに、彼の生涯と働きを日本で広く紹介したいという衝動が湧いてきました。

　この小著は彼の生涯を紹介した資料にほとんどを負っていますが、おもにマイケル・デイリィ『ザ・ブック・オブ・マイカル』（Michael Daly, *The Book of Mychal,* ST.Martin's Press 2008）のお世話になりました。

著者

はじめに　…5

「マイカルの祈り」　…11

1行目の祈り　…13
主よ、あなたが行かせたいところに連れていってください。

2行目の祈り　…25
あなたが会わせたい人に会わせてください。

3行目の祈り　…37
あなたが語りたいことを示してください。

4行目の祈り　…53
私があなたの道をさえぎることがありませんように。

マイカル・ジャッジについて　…65

資料　…69

あとがき　…73

参考文献　…77

もくじ

マイカルの祈り

主よ、あなたが行かせたいところに
連れていってください。
あなたが会わせたい人に会わせてください。
あなたが語りたいことを示してください。
私があなたの道をさえぎることが
ありませんように。

Lord, take me where You want me to go,
let me meet who You want me to meet,
tell me what You want me to say,
and keep me out of Your way.

1行目の祈り

主よ、あなたが行かせたいところに
連れていってください。

Lord, take me
where You want me to go,

「ここに私がおります。私を遣わしてください」

(イザヤ書6章8節)

マイカルの出かけていったところ

　私たちはこの世界で生活していますが、牧師をしている私は、神がどのようなことをこの世界に対して願っているのか、聖書をとおしていくらかわかります。すなわち、私たち人間が、神からの愛を受け止めてほしいこと、私たちを創られ、命を与えた神との関係を深めること、人々と平和に過ごすこと、人々の破れた関係に和解と癒しをもたらすこと、貧しい人を助け、差別されている人を支援すること、権力、暴力、抑圧からの解放のために働くこと、希望を失った人々に、神にある回復と癒しの希望を伝えること、です。私は牧師として、そのために聖書が示すことを日々人々に説き明かし、そのいくらかでも伝える働きをしています。そして、それを実践するための共同体や教会の形成に努めています。他の宗教者も、それぞれの信仰に基づいて、人々のあいだの平和と和解のためにご奉仕なさっているものと思います。

　しかし、日々直面する困難、予想や理解を超えた出来事を

前にすると、神のご計画がどこにあるのか、神は何を願っておられるのか、途方にくれることが珍しくありません。神は愛であるにしても、日々それがどのように現れるか、前もってわかることはほとんどありません。しかし、神によって生きている（一瞬一瞬息をし、心臓も動かされている）私たちは、毎日の生活の場に神に信頼して出かけていきます。その中で予想を超えた現実の困難に出合って「おろおろ」するのです。

神学者小山晃佑（こうすけ）（1929-2009）はこういう言葉を残しています。

一人の苦しむ人の前で、簡単にあきらめたり、見捨てたりするのではなく、真の神ならどうなさるであろうか、とおろおろして迷い、考え、畏れをもって祈ることです。この「おろおろ」こそ神学の本質です。おろおろするがゆえにしっかりと目前の現実的問題に対処できるという信仰の、したがって神学の逆説です。

おろおろって何ですか？　と問われたら、子どもが急に大けがしたときの母親の困惑に似たものです、と答えましょう。とっさにきれいさっぱり片付けるというわけにいかない。困惑し、うろたえ、どうしたら子どもにと

って最善か考え、神にすがる態度です。これが愛という
ものではないでしょうか。[1]

　私は「おろおろ」することは決して格好の悪いことではな
いと、この言葉から知りました。そしてこの言葉をたどると、
イエスもまた一人の苦しむ人の前で「おろおろ」されたので
はないかと思うのです。神であるイエスがおろおろされる、
つまり、一人の人の前でイエスがどうしたらよいのかわから
ず落ち着かなくなるなんて。信仰者からすれば、そのような
ことを想像したことがないかもしれません。けれどもこれは
むしろ、神が、またはイエスが、人間と同じ心を持ち、同じ
まなざしで歩んでくださっているという励ましにも思えるの
です。

　マイカル自身、突然の航空機事故で多くの犠牲者を出した
ときの遺族に接した際に、この「おろおろ」ともとれる言葉
を発しています。

　「神は災いが起こるのをお許しになる。私にはそれがなぜ
かわからないのです」。[2]

　これは決してあきらめの言葉ではないと思います。この彼

の言葉から、彼自身がもがき苦しんでいるさまが見えます。どうしたら遺族の苦悩に寄り添うことができるだろうかという、叫びに近い、声にならない祈りのような声が聴こえます。

　苦悩している人たちを前に、ともすれば私たちは何かよい言葉をかけたり、励ましになる助言をしようとしたりします。しかし、私たちが愛や共感やあわれみを本当に示したいのならば、イエスのように、苦しんでいる相手の心を聴くよい耳を持つことではないでしょうか。苦しみにあるその人をその人として受け入れて、ともに苦しみこと……マイカルはそれを行おうとしました。

　マイカルはあるとき、エイズで苦しんでいる人を見舞いました。カトリック教会がエイズ患者たちに理解を示さなかった時代にも、病者のために心を込めて奉仕しました。今では治療薬が開発されたとはいえ、当時はどんな名医の手にかかっても、もちろんマイカル自身の祈りによっても、癒やせるわけではありませんでした。しかし彼は、恐ろしい病気への偏見や恐れを捨て、心をとおして相手の存在に触れることができました。

1行目の祈り

彼はこう言っています。

　できるだけ、ベッドの傍らに座って、痛みや混乱を与えないようにそっと相手の手を取るか、腕をなでます……彼らに触れ、そのそばに座ることこそが大切です。人々とともに祈るとき、塗油〔とゆ〕*1を行なうとき、私はそれを、心を込めた美しい儀式にするよう心がけています。

　私が「この聖なる塗油により、慈しみ深い主キリストが、聖霊の恵みであなたを助け、罪から解放してあなたを救い、起き上がらせてくださいますように」と言うときに、秘跡〔ひせき〕*2を受ける相手に「アーメン」と答えてもらうようにしています。

　するといつの間にか、彼らの目に涙が浮かぶのです。
　——そして私の目に(3)も。

　さて、マイカルの手帳には、病人の訪問や面会希望者との予定が書き込んでありました。そして、ことあるごとに記さ

---

*1、2 カトリック教会が重んじる聖なる儀式を秘跡と呼び、塗油はその一つ。司祭が執行する。病者の癒やしのために、また臨終の際に、額に油を塗って祈る。

れた名前を見てその人たちを思い起こし、祈っていました。そこに有名な子ども服のデザイナー、スティーヴン・スマーという名がありました。

　最初、スティーヴンの脚に見過ごしてしまうような腫れ物ができました。それから彼の免疫機能が落ちていきました。たびたび感染症に見舞われ、病院への入退院を繰り返すことになりました。マイカルは彼を定期的に見舞い、聖体[*3]を授けたり、話し相手になったりしていました。

　スティーヴンは自分がHIV患者であることを、いつか両親に打ち明けなければならないと逡巡していました。彼が迷ったのは、それと同時に自分が同性愛者であることを両親に伝えなければならないからでした。ある日、とうとう両親であるマージとトムが見舞いにニューヨークへと飛んできました。ふたりは息子のカミングアウトを聞いて、二重にショックを受けました。愛する息子のセクシュアリティと難病を同時に知らされたからです。その後、ショックが癒える間もなく、息子と一緒に「ディグニティ（尊厳）」というカトリック

---

*3 ミサで拝領するために特別に分けられたパン。カトリック教会では、キリストの体の実体として信じられている。

信者による LGBTQ の集会に出席することになりました。

のちに母親はこう回想しています。「男性ばかりのこの大きな会合（当時は男性同性愛者中心だった）に、圧倒されました。そういう人たちがいるのは知っていましたが、そんなに知りたいとも思いませんでした。自分の息子がこんな人たちの一人だなんて、とうてい信じられなかったのです」。

そのとき、その場の集会にいたマイカルは、スティーヴンの両親に気づき、群衆から抜け出て、にこやかに微笑みながら近づいてきたそうです。自己紹介を聞いた母親はびっくりしました。そこに聖職者がいるとは想像もしなかったからです。

マイカルはスティーヴンの両親にこう語りかけました。「あなたがたがここにいること、そのこと自体が愛の行為です」。

マイカルは両親に説明しました。「家族が来てくれない人たちがいかに多いことか。ですから両親が来ることが大きな励ましになるのです」と。

スティーヴンが退院した日、マイカルは彼とその両親ト

ムとマージを連れてマンハッタンの街を歩きまわったそうです。神父の姿を見た大勢の人たちが彼に声をかけてきました。そしてマイカルは、最もさげすまれている人々と出会っても、ためらいなく抱きしめました。

　マージは昨日のことのように驚きをもって語ります。「誰もがあの方をご存じのようでした。神父さんはその人たちを抱きしめるんですよ。まるで長いこと行方不明だった友だちと会ったかのように」。

　四人はどんどん街の中を進んでいきました。父親と息子が先になり、母親とマイカルがそのあとに付いて行きました。マイカルは前に並んで歩いている父子を見て、うらやましそうにマージに語りかけました。

　「私は父親を知らないで育ったんだ。父はトムみたいな人だったんじゃないかな。今、彼を見ていて、そう思いたいよ」。

　マージはそれを聞いてマイカルの手をつかみ、大喜びしてこう言いました。「まあ、私にとってそれは最高の言葉よ。トムの良さをわかってくださって、うれしいわ」。

　ついでトムは物乞いと出会うと、なんと立ち止まって施しをしました。

　「あのお金でいったい何を買うでしょうね？」マージはマイカルに尋ねました。「さあ、それはわからない。何を買ったにしても、おかげで幸せになるだろうね。誰もがトムのように他人に接するなら、世界はとても素晴らしい場所になるだろうに[4]」とマイカルは答えたそうです。

　マイカルは行動の人でした。人々が力と良心を何よりも必要としているときに、人々の中にある力と良心を見つけて、それを本人に知らせました。そして随所で、人を大笑いさせてくれるユーモアを持っていました。

　神は、今その人が置かれている「状況」を変えるというより、そこにいる人を変えることで、何かをなさろうとしているのではないでしょうか。神の力は、その人たちを通して顕（あらわ）されること、そのことによってご自身を伝えようとされているのではないでしょうか。

　主よ、あなたが行かせたいところに連れていってください。

2行目の祈り

あなたが会わせたい人に
会わせてください。

let me meet who
You want me to meet,

兄弟愛をいつも持っていなさい。
旅人をもてなすことを忘れてはなりません。
（ヘブライ人への手紙13章1節）

みんな神の家族

　私が初めてカナダを訪れたときに、現地の教会で興味深い賛美歌が歌われていました。タイトルは『みんな神の家族』（*Part of the family*）と言います。

　（リフレイン ――各節の間に歌われる）
　おいで、こっちに来て座りなさい
　あなたも家族なのだから[*4]
　私たちはみんな迷い出て、そして見つけ出された者たち
　みんな神の家族なのです

　（1）あなたは知っているでしょう、なぜここに来たのかを
　すべてを説明できないかもしれないけれど
　だから共に笑い、つらいときは共に泣こう
　みんな神の家族なのだから
　神はここにいる。私たちと共に
　まるで母の温かい抱擁のように

私たちはみな神の恵みによって赦（ゆる）されている

みんな神の家族なのだから

(2) 子どもも老人も、中年も10代も

独りぼっちもカップルも、どちらでもない人も

がんこな85歳も生意気な16歳も

みんな神の家族なのです

迎える人、新しく来る人、長くいる人、新しい人

ここでは誰も決まった席はない[*5]

人が多かろうが、ほんの少しだろうが

みんな神の家族なのです

(3) パンとぶどう酒で分かち合えるいのちがある

私たちは枝で、キリストはぶどうの木

ここは神の宮、あなたのものでも私のものでもない

それでも神の家族なのだから

---

*4 「家族」という言葉に抵抗を覚える人もいるでしょう。たとえば「仲間」とか、他の言葉に置き換えて読むのもよいでしょう。
*5 伝統的な教会の一部には、おもだった人が座る席が決まっていて、他の人はそこを遠慮した。「この教会にはそういう席は一つもない」という意味だと思われる。

ここでは疲れた人も健康な人も、すべての人が安らげる

くびきは負いやすく、荷は小さくて軽い

だから共に来て礼拝しよう　招きに応えよう

みんな神の家族なのだから。

（歌詞の原詩は全部で4節。巻末資料参照）

　地域を越えて、国を越えて、世界共通のことであると思いますが、私たち人間は親睦を深めるときに、あるいは友情を交わすときに食卓を共にします。お互いほとんど話すことがなかった間柄でも食事をすることによって、その翌日から意気投合したことがあるということは、おそらく誰もが経験済みのことではないでしょうか。

　思えば、イエスもそうでした。

　あるとき、イエスの名前が評判を呼び、彼を一目見ようと群衆が押し寄せました。そこにザアカイという男がいました。彼はユダヤ人でありながら、当時のイスラエルを占領していたローマ帝国の税金を取り立てる役人となり、嫌われていました。不正な蓄財のうわさもありました。小柄だった彼は、

イエスを見たいと、いちじく桑の木に登りました。イエスがその木の下を通りかかったとき、イエスは彼に言葉をかけました。

「ザアカイ、急いで降りて来なさい。今日は、あなたの家に泊まることにしている」(ルカによる福音書 19 章 5 節)。

このとき、もう何年も味わったことのない、あたたかな視線がザアカイに向けられました。それは白い目ではなく、彼を包みこむあたたかな、愛に満ちた「まなざし」です。冷え切ってどうすることもできないザアカイの心は、幼いときに母が彼の傍らでやさしく見守ってくれたときと同じようにしてほぐれていきました。イエスにはザアカイの心の深い求めが理解できたのでしょう。

「今日は、あなたの家に泊まることにしている」──イエスはこう言いました。原文のニュアンスでは、「あなたの家に留まらねばならないから」です。イエスはとても大胆な人でした。なぜなら、彼を嫌う人々がいる前で宿をとりたいと言ったからです。これはもちろん、一緒に食事をするということでもありました。中東では、食卓の場は親しく交わる場であり、信頼関係を築く上でたいへん重んじられていました。

そしてこれは、どのような人をも滅びることを望まれない神の愛に触れることでもありました。

　この愛のあたたかさにいのちの芽を吹き返したザアカイの心は叫びます。

　「主よ、私は財産の半分を貧しい人々に施します。また、誰からでも、だまし取った物は、それを四倍にして返します」（同19章8節）。

　そしてイエスは「今日、救いがこの家を訪れた」（同19章9節）と祝福されました。ザアカイはありのままの自分を受け入れ、友として接するイエスの姿にことごとく揺り動かされました。それは、彼の人となりをも変えてしまったのです。

　私にはマイカルとイエスの姿が重なって見えます。次のような事件がありました。

　あるとき、人質を取って民家の二階に立てこもっていた暴漢に、マイカルは修道服を着たまま梯子を登った一番上から話しかけたというのです。二階の窓越しに、散弾銃を持っていた男に胸襟を開き、穏やかに、またときには厳しさを持って接したという証言が残されています。

そのときマイカルは何度もうなずいていたといいます。その現場にいた関係者たちには、マイカルが犯人の男に対して、恐怖心を抱いていたようには見えなかったそうです。

　説得が功を奏して、男は人質を２階から降ろすことに同意し、マイカルは人質になっていた六歳の少女を抱きかかえて梯子を降りました。そしてなんと、ふたたび上に登って行きました。

　彼が恐怖を感じたことがあったとすれば、それは窓から家の中に入っていったときでした。

　「中に入って話がしたいんだが、いいかな？」マイカルは尋ねました。

　「もう十分苦しんだだろう。だから座って話そうじゃないか。君が話を聞いてほしいことはわかっているから」。

　マイカルは約束をしました。

　「私は君のそばにいるよ」。

　このあと、男は逮捕されて警察に連行されていきました。⁽⁵⁾

　のちにマイカルは、「こういう状況の中でやるべきことをやったまでです」と言ったといいます。

　彼はこのようにして多くの人々の中に「聖なるもの」を見出していたのです。

　私はこのようなマイカルの行動とイエスとの間に共通点を見るのです。人間に「怖れ」はつきものです。しかしそれを越えて自分の側からすぐさまに心を開く彼の行為もまた私は「聖なるもの」ではないかと思うのです。

　1992年2月14日、マイカルはニューヨーク市消防局のチャプレンに就任しました。彼が管轄した区域はマンハッタン、ブロンクス、スタッテンアイランドでした。彼は消防署を定期的に訪問したり、緊急の連絡を受けた場合は、無線つきの車に乗って現場に駆けつけたりしました。さらには、消火活動で負傷した消防士たちを見舞ったり、消防士たちの家族の結婚式や洗礼式を司式したり、ときには葬儀を行ったり、負傷して悩む人たちの相談相手になったりする日々が始まりました。マイカルは尽きることのない情熱をもってこの使命を果たしました。

　また、こんなエピソードも語り継がれています。

ある日、マイカルがマンハッタンを歩いていたとき、二人のホームレスの男がマイカルに金を無心してきたそうです。そのとき彼は、数ドルを手渡して立ち去るどころか、通りを渡って反対側にあった「バーガーキング」で彼らにごちそうしたというのです。

　マイカルのその「夜」の記録が残されています。

　　修道服姿のマイカルと二人のホームレスの男がニューヨークのにぎやかな通りをさっそうと歩いていました。彼はこう言いました。

　　「いい夜だね」。

　　店に入ると、ハンバーガーを前にして、男たちはマイカルのあとについて食前の感謝の祈りを唱えました。別れる前にマイカルは二人を抱きしめ、それぞれを祝福して「神は君たちを愛しておられるよ」と言ったのです。

　　その足でマイカルは、エイズ患者を支援する慈善イベントの会場に向かいました。彼はミッドタウンにある瀟洒なホテルへと入っていきました。金色の天井がまばゆいばかりに輝く会場には、ニューヨークの富裕層たちが

集まってきていました。

　その夜、マイカルに近づいてきた一人は、クリストファー・リーヴ（映画『スーパーマン』で主演した有名な俳優・映画監督、1952-2004）でした。大スターの登場に、神父の周囲にいた人々はひるんでしまいましたが、マイカルはまるで旧知の友人同士であるかのように、リーヴにこう言いました。

　「いい夜だね(6)」。

「人を差別しない」「区別しない」。そう心に決めていても、私たちは弱い者です。目の前に向き合った人に忖度してすり寄っていったり、反対にその人にはできれば関わりたくないというような態度を取ったりして、自分自身の弱さや小ささを恥じることがあります。日本語には「相対（あいたい）する」という言葉があります。その意味は皮肉なもので「真正面から人に向き合う」「対面する」というものと「反対の立場に立つ」「背を向ける」ひいては「対立する」という正反対の意味を兼ね備えています。私たちはこの両方の態度をしばしば人に取ってしまっていないでしょうか。けれどもマイケル

は違っていました。ぶれない心を持つ彼はどんな人にも深い関心を寄せて、対等に接し、さまざまな人々の内に秘めた「聖なるもの」を見出すことができたのです。これが彼の卓越した能力であり、強みでもあったのです。

　この記録から読み取れることは、マイカルにはその人の背景や地位などは大した関心事ではなかったということです。その人をその人として受容する寛大さが彼には備わっていました。そして彼は初対面の人に対しても臆することも、壁を造ることもなく接していたのでした。その上でこのように祈っていたのです。

　あなたが会わせたい人に会わせてください。

3 行目の祈り

あなたが語りたいことを
私に示してください。

tell me what You want me to say,

語る人は、神の言葉を語るにふさわしく語りな
さい。

（ペトロの手紙第一4章11節）

人を生かす言葉

　誰でも言葉で失敗することがあります。私も一度や二度、いやそれ以上に、「あんなことを言わなければよかった」あるいは「心にもないことを口走ってしまった」ということがあります。「心にもないことを……」とは言うものの、すべて自分の心の中から出ている言葉であることは間違いありません。けれどももし私たちの世界に、あるいは日常生活の中に言葉がなかったらどうなるでしょうか。聴覚しょうがい者も手話という言語を活用しています。言葉がなければなんと心もとなく、味気なく、寂しい日常になってしまうことでしょう。意思疎通をどこで行えばよいのでしょう。考えたり、自分の意思を伝えたり、愛情を伝えたり、ほめたり、感謝したり、祈るときに行き詰まってしまいます。それだけではありません。不満を並べるとき、許すか許さないかを申し出るときなど、言葉がなければ途端に困ることばかりです。

「言葉」が人を傷つけることがあります。そうならないように と、私たちはいっそう言葉遣いに気をつけるのですが、また失敗してしまいます。

「あんな言い方をしたけれど、果たして良かったのだろうか」と私たちが自問する日もあります。あってはならないことですが、自分が言った言葉が原因で、相手が絶望してしまうこともあるのです。

また逆に、自分自身が誰かに言われた一言で崩れ落ちるような経験をすることもあります。そして、案外自分がそれをしていても気づかないことが多いものです。ですから私たちは、大事なことやデリケートなことを伝えたいときは特に、「あなたが語りたいことを私に聴かせてください」と神に祈りながら、自らの言葉に配慮しなければならないでしょう。

旧約聖書の箴言13章3節にこのような言葉があります。

　　口を自ら制する者は命を保ち

　　いたずらに唇を開く者は滅びる。

私たちは言葉に気をつけなければなりませんし、自制しなければいけません。しかし、私たちは人間として完全ではありません。どれだけ気をつけても人のことを傷つけて、人間

関係を壊してしまうことも避けられません。また言葉の問題を起こしていた人たちに向けて書かれたヤコブの手紙３章８節に「舌は、制することのできない悪で、死をもたらす毒に満ちています」とあるように、人は自分の口を完璧にはコントロールできないのです。

　ではそんなとき、どうしたらよいのでしょうか。私たちは言葉に対する責任感を養い、感情でつい口走ってしまわないよう自制しなければいけないでしょう。つまり、「何を発言するのか」、「何を言わなくてはならないのか」、また「何を言ってはいけないのか」、それをよく吟味して言葉を発することが求められています。この「吟味する」あるいは「振り返る」ことは、神が人間にだけ授けてくださったものであると思います。急いで話しているとき、またメールを手っ取り早く打ったとき、その内容を吟味することはあまりしてないのではないでしょうか。私も過去、かなり失敗してきて、反省しきりです。しかし、その言葉の持つ重みを考えれば、私たちの側の態度が変えられなければならないでしょう。重要で、危機的な場に遭遇したとき、とくにそれが試されます。

そんなとき、マイカルはどうだったでしょうか。

　1996年の7月のことです。ニューヨークからパリに飛び立ったばかりの航空機がロングアイランドで墜落しました。「トランスワールド航空800便墜落事故」と呼ばれることになったこの事故は、乗客乗員230名全員が死亡する大惨事となりました。ロングアイランドはマイカルたちのいた消防局の管轄外だったので、消防署への連絡はなく、彼はテレビのニュースで事故のことを知りました。乗客の家族たちは、ニューヨークのジョン・F・ケネディ空港に駆けつけていました。

　マイカルはのちにそのときのことを回想してこう言っています。

　「私はチャプレンとして、司祭としてそこへ駆けつけました」。

　深夜、彼は空港の近くのホテルにたどりつきました。そこでは乗客の家族たちが一縷の望みを持って、それぞれの家族の安否確認の情報を待っていたのでした。ニューヨーク市のジュリアーニ市長（R・ジュリアーニ、在1994-2001年）もそこで、航空会社から手渡された乗客名簿の一部を手に、名簿にある

名前とその家族とを照合しながらあわただしく動きまわって
いました。

　このときのマイカルの姿は、ジュリアーニ市長のそれととて
も対照的でした。彼はまず家族のもとに行き、一緒に過ご
すように努めたのです。おそらく沈黙が続いたのではないか
と推察します。そうした場の援助者（チャプレン）として、どの
ような言葉を目の前の人たちにかけたらよいか葛藤する経験
を私もしてきました。重大な危機を前に、マイケルにとって、
重苦しく、どんよりとして、出口の見えないような時間だっ
たろうと容易に想像できます。

　ジュリアーニ市長は、そのあいだ名前の照合作業がうまく
いかず、かんしゃくを起こしていたかのように取り乱してい
たといいます。

　そんなさなかでも、マイカルは自分を見失いませんでした。
強靭な精神力が彼に備わっていることに、私は驚愕とも言う
べき感銘を受けました。ここに彼の強さが表れています。

　事故から半日が経ったころ、生存者がいないことがすでに
明白となったため、家族たちのショックは怒りと悲しみに変
わっていました。その飛行機にはペンシルヴェニア州の21

人の高校生が引率者とともに乗っていました。そのときジュリアーニ市長は、生徒たちの父親の一人がマイカルを問い詰めているところを目撃しました。

ここでジュリアーニ市長が残した回想録を紹介しましょう。

「おまえ、ここで何をやっているんだ！　いったい何をやっているんだ！」。

息子を失った父親が、マイカルの修道服を見て問い詰めました。

「みんな死んだ。あんたは神の代理人だ。神なんているはずないじゃないか？　あんたは神を信じているって？　あの子どもたちを全員死なせてしまうなんて、いったいどんな神だというんだ？　何もかも大嘘だ！」。

私（市長）は父親をなだめようと近づきましたが、そのとき、マイカルが父親の手を取ったのを見ました。

神父は男の手を取り、そのまま話し続けさせていていました。私はそのことをよく憶えています。父親はしばらく声をあげ続けていましたが、やがて突然、泣き崩れて、マイカルを抱き締めました。

「神は災いが起こるのをお許しになる。私にはそれが
なぜかわからないのです」。
マイカルは父親にこう話しました。[7]

この箇所を執筆しながら、この恐ろしい航空機事故の遺族
たちの心境に思いを馳せました。私たちの身近なところでも
不条理な出来事で愛する者を突如失い、悲嘆にくれる人たち
にたくさん出会います。ここに出てくる父親の表情や怒りは
どのようなものであったでしょうか。家族たちの控室には、
おそらく泣き声やため息や、あるいは怒声が入り混じってい
たに違いありません。これまでに私たちが経験したことのな
いような、どうすることもできない重々しい雰囲気です。

私が牧師を務める教会で、突然の自死でこの世を去った方
の葬儀が営まれたことがありました。警察から遺体が教会へ
と運ばれ、そこで初めて家族と対面する際に私も立ち会いま
した。それは、家族が「遺族」になる瞬間でした。同時に、
どんなに心を合わせようとしても、遺族の深い悲しみのすべ
てを理解できるとは言えない苦渋も経験しました。

マイカルはこのとき、控室で遺族の間を細やかに動き回りながら、遺族たちから発せられる感情に向き合っていたといいます。とにかく目の前にいる相手に耳を傾けることに集中したそうです。多くの人たちは、なおもやり場のない怒りを抱えていました。たとえ遺族たちが怒りを爆発させようと、そのままにしておくことがマイカルのとった態度でした。そうすることで、遺族たちの心の状態が徐々に安定に向かうことを期待していたのかもしれません。

この事故から5年後、2001年9月11日、ジュリアーニ市長はさらに大きな悲劇に向き合うことになりました。彼にとってこのときのマイカルの丁寧な行動は、大きな教訓となっただろうと推測できます。

目の前にいる一人の人間を理解し、その心の深みの部分にまで触れるというマイカルの能力は、比類のない卓越したものでした。この墜落事故のあとも、遺族たちへの対応は長い道のりを辿りました。それは多くの点で、あの恐ろしいテロへの前奏曲だったといえます。

　マイカルは自分の人間性や弱さを包み隠したりはしません
でした。ほかの人たちにも、自分ではない何者かであるふり
などしてほしくなかったのです。マイカルはこのような言葉
を遺しています。

　「私は本当に滅茶苦茶だった。ひどい間違いも犯した。そ
れでもとにかく、私はここにいる(8)」

　だからこそ、毎日彼はこのように祈ったのです。

　あなたが語りたいことを示してください。

　この３行目の祈りを祈るとき、私たちの目の前にいる相手
に語るのにふさわしい言葉が与えられるよう、開かれた想い
を神に向けたいと思います。

① 世界貿易センタービルの瓦礫の中からジャッジ神父の救出　ロイター／アフロ

② ジャッジ神父が働いた「アッシジの聖フランシスコ教会」からの出棺　ロイター／アフロ

③ 聖フランシスコ教会での葬儀で消防士、同僚の神父による祝福の祈り
　The New York Times ／アフロ（2002年ピューリッツァー賞受賞シリーズから）

④ 消防服を着たチャプレンとして
ⓒ The Franciscan Friars of Holy Name Province

ENGINE 310 THOMAS CAR

ETER ALEXANDER BIEL

MYCHAL F. JUDGE

⑤ ニューヨークの WTC 跡地にある祈念碑に刻まれた神父の名前　著者撮影

167→101
West 31st St
Father Mychal F. Judge St.
Ave
WAY
n Ave
ONE WAY

⑥ 市民に愛された神父は「マイカル F. ジャッジ
　通り」として、その名が残された。

© Amanda Davis

4行目の祈り

私があなたの道をさえぎることが
ありませんように。

and keep me out of Your way.

私（キリスト）に付いて来たい者は、自分を捨て、
日々、自分の十字架を負って私に従いなさい。
（ルカによる福音書9章23節）

マイカルが果たした使命

　私たちは朝起きてから床に就くまで、「自分」のことが気にかかります。常に気にかかっているといってよいかもしれません。「余力」があれば他者のことに関心を向けよう、助けようと思うのが精一杯の現実に生きているかもしれません。そしてその「自分」がいざ困難な問題に直面すると、まるで「他者」が存在しないかのように、自分にかかりっきりになってしまうこともあります。

　使徒パウロは、「(私たちは) 生きるとすれば主 (神) のために生き、死ぬとすれば主のために死ぬ」(ローマの信徒への手紙14章8節) と言っています。ここでパウロは勇ましい殉教を勧めているのではなく、生きるにしても死ぬにしても主のものであるという新しい生き方について語っているのです。では、これとまったく正反対の人生の人は、どんな生き方をするでしょうか。パウロはそのことを前の7節に記しています。

　「自分のために生きる人」

「自分のために死ぬ人」

　パウロはここで神に結ばれている人、すなわち神の子とされている人は、そんな生き方は選択しないのだと言います。人間が自分だけのために生き始めたらどうなるでしょうか。まず私たちを創られた神に感謝をしなくなるでしょう。この世でいちばん偉いのは自分ですから、神であろうと他人だろうと、かまわなくなるでしょう。そしておそらく、自分と折り合えない他人を攻撃するでしょう。自分と合わない者を排除したり、差別したり、自分の考えていることがすべて正しくて、すべてが絶対となっていくのです。そうなると世界はますますおかしくなり、戦争もテロもこのような擦れ違いから始まっていくのだろうと私は思うのです。

　ここまで読み進めてくださった読者の方には、マイカルの人となりが、少しずつお分かりになってきたのではないでしょうか。彼は、道で出会うホームレスの人たちがいれば、面識のある人には声をかけ、初対面の人には名前を尋ねながら、1ドル札を小さく折って渡していたといいます。

　マイカルの同僚だった消防士の証言によると、あるときレストランでの食事の支払いの際に、マイカルが代金を持ち合

わせていなかったことがあったそうです。なぜなら彼は、持っていたお金をみなホームレスの人たちに渡してしまったからです。なんとも微笑ましい、茶目っ気たっぷりのマイカルの姿が目に浮かんでくるようです。

またマイカルには、心を許して話せる友も数名いたということです。彼のようなチャプレン職にある、いわゆる「援助者」にとって、自分を支えてくれるメンターのような「援助者」は大切な存在です。私もそのような「メンター」の役割を果たしてくれる仲間たちを持っています。その仲間たちは、かけがえのない存在です。ときには自分の心の奥底に抱えているものを、彼らに吐露することがあります。牧師（援助者）として自分自身が「重荷」を抱えている状態では、他者をきちんと受け止めることができず、良い働きをすることができません。

さて、マイカルの一人の友人の証言によれば、彼は「自分は人々から期待されるような存在であり続けることができないのではないか」という不安を抱え続けていたそうです。確かにそうです。人間には一人の力ではどうすることもできな

いことがあります。アメリカではよく人々のために目覚ましい貢献をした人を「ヒーロー」と呼んでたたえ、メディアにその言葉が踊りますが、決して彼を英雄視してはならないと私は思います。彼は万能ではないのです。彼はさまざまな活動のかげで、「もうこれ以上できない」と深く悩んでいたといいます。その一つの理由は、彼が完璧主義者であったからでした。彼は「いつも完全でなければならない」と自分に言い聞かせていた、という証言も残されています。おそらくそれは、人々の期待に応え、失望させたくないという一心からではないかと私は推測しています。

　私も同じ神と人とに仕えようとしている牧師の一人として、マイカルの気持ちが痛いほど分かります。人々の期待に応えるべく働きたいと願いつつも、自分自身の能力の限界を思い知らされ、一人の人間として怯え、傷つき、疲れ果ててしまうからです。そのように逡巡、あるいは苦悩していたマイカルに、「あの日」が訪れたのでした。

　克明に残されているマイカルの「あの日」の出来事を、マイケル・デイリィ氏の著書からたどってみましょう。

　2001 年 9 月 11 日、朝 8 時 50 分、早朝の祈りのあと、ソファで横になっていたマイカルのところへ同僚の修道士が飛び込んできました。WTC に航空機が激突したというのです。マイカルは通りの向かいの消防署へ駆けつけ、非番の消防隊長と消防士とともに現場へ向かいました。

　白いヘルメットをかぶり、消防局チャプレンの出動服を着たマイカルは、上層階が炎に包まれ黒煙が上がっている WTC の北棟の中に入っていきました。ジュリアーニ市長もそこへ到着していて、「私たちのために祈ってくれ」とマイカルに声をかけました。マイカルはなんとか微笑みながら、「いつも祈っているよ」と答えたといいます。上階から次々と飛び降りる人々が地面に激突する音を聞くたびに、マイカルがこの上ない悲しみの表情を浮かべていたのを、ある消防士は見ていました。消防士たちが人々の救出のために階段を上っていき、オフィスで働いている人たちが階段を下りてくるさなか、マイカルは救護司令部の置かれたロビーで声を出さずに祈り続けました。⁽⁹⁾

9時2分、南棟にも航空機が突入。第7棟に緊急司令センターが開設され、ジュリアーニ市長たちはそちらへ移動するため、北棟から出ていきました。マイカルも、ある消防士から退出するよう勧められたのですが、彼は北棟に留まり続けたのです。[10]

　マイカルは、北棟と南棟をつなぐ「プラザ」と呼ばれる場所の惨状を目にしてきた火災巡視員から、そこへ向かってほしいと要請され、停止しているエスカレーターを上っていきました。あるカメラマンは、エスカレーターを上りきった場所で、マイカルが目を閉じて立ち尽くし、声を出して熱心に祈っていたのを目撃しています。

　マイカルは、「イエスよ、これを今すぐ終わりにしてください！ 神よ、終わりにしてください！」と祈っていました。[11]

　のちの証言から分かったことですが、マイケルは消防署付のチャプレンとしてあの惨劇のなか、自らを危険にさらしながら任務を果たしてまわったそうです。ビルが崩落する前に、現場で亡くなった人、亡くなりかけた人のために祈り、

「塗油の秘跡」を授けていたといいます(12)。

　ついに、9時59分、耳をつんざく轟音がして、高さ415メートルもある南棟全体が、最初に攻撃された北棟（10時28分崩落）より先に崩落し、吹き飛ばされた瓦礫や破片、埃であたりが覆われました。まさにこの世の地獄が出現しました。その衝撃のなかを歩いていた消防副指令長が、床の上に横たわる物体につまずきました。暗がりの中を懐中電灯で照らすと、それはマイカルでした。元救急隊員の消防士が喉に触れてみたところ、脈がなかったそうです。彼はマイカルに心臓マッサージを施しました。しかし、息を吹き返すことはありませんでした(13)。

　消防士たちやその他数名が、マイカルの遺体を運び出した光景をロイターのカメラマンが撮影した写真があります。それはのちに「現代のピエタ」*6(14)と呼ばれるようになりました。(**写真①**)

　マイカルの遺体はベルヴュー病院に運ばれ、のちに死亡証

*6 「ピエタ」とは、イタリア語で「慈悲」を表す語で、キリスト教美術において、むくろとなって十字架から降ろされたイエスを、母マリアが抱いている絵や彫刻を指す。ミケランジェロの有名な彫刻はその一つで、バチカンのサン・ピエトロ大聖堂にある。さながらその光景をほうふつとさせる形容でである。

明書が発行されました。その番号は「DM0001‐01」。同時多
発テロの犠牲者として登録された第１号となりました。⁽¹⁵⁾

　マイカルが亡くなった２日後の９月13日、聖フランシス
コ教会で行われた葬儀に、約3000人が参列したそうです（**写
真②③**）。その中にクリントン元大統領夫妻もいました。葬
儀が終わって、ビル・クリントン氏は、「私たちは犯人たち
よりも、マイカルのような人になりましょう」と語ったと報
道されました。私はこの言葉の背後に、マイカルが「模範」
を示してくれたという意図が込められたように思います。し
かし先述の通り、彼は理想と現実の狭間で葛藤していたとい
う証言が残されています。私はこう思います。「人々の模範
になどなり得ない」という強い思いが、彼を支配していたと。
　けれども、たとえ欠けがあっても、神はその「器」を十分
に用いてくださると、マイカルの生涯を見て教えられるので
はないでしょうか。

　さて、マイカルの亡きあと、彼の同僚だった消防士たちが
9.11同時多発テロ以降に起きた事故や事件の現場に駆け付け

て活動するとき、前にも増して厳しい緊張感に包まれていました。消防局のチャプレンの後継者となった牧師は、小さなカードをポケットから出して現場で闘っている彼らに手際よく渡していきました。すると、そのカードを見て、きまって彼らの表情が一変したそうです。そのカードには、「マイカルの祈り」が記されてありました。⁽¹⁶⁾

　チャプレンの職務の一つに、こうした「救助隊」の心のケアがあります。マイカルの祈りを唱えると、消防士たちは微笑み、よく会話を交わしたのだそうです。まるでユーモアたっぷりのマイカルがそこにいるかのように、その場が明るくなったというのです。

　マイカルの祈りの最後の行である、「私があなたの道をさえぎることがありませんように」とは、自分の身勝手さを抑制することを忘れないようにするための祈りなのではないでしょうか。消防士の一人ひとりが一丸となって「現場」での任務に当たったように、それは、自分たちの功績や利得のためではなく、もっと大きなお方（神）と共に任務を果たすのだということを、つねに思い起こすための祈りであったこと

でしょう。

　私があなたの道をさえぎることがありませんように。

マイカル・ジャッジについて

　マイカル・ジャッジ神父は1933年、アメリカ合衆国ニューヨークのブルックリンに生まれました。両親はアイルランドからの移民で、カトリックの信仰を持っていました。彼が生まれたころのニューヨークは、ヨーロッパからの移民が多くいました。

　マイカルは中学生のころ、ニューヨークのマンハッタンにあるアッシジの聖フランシスコ教会（フランシスコ会修道院）に出入りするようになり、しだいに司祭（神父）になる道を志します。そして1948年の15歳のときに、小さき兄弟会（フランシスコ修道会）に入会。1961年、27歳で正式に司祭に叙階されました。彼はニューヨーク近郊の教会を中心に働きました。1985年には、イギリスのカンタベリーにあるフランシスカン研究センターで、1年間の訓練を受けています。その後、1989年の秋から2001年に亡くなるまで、「アッシジの聖フランシスコ教会」の司祭の一人として働きながら、1992年から教会の真向かいにあるニューヨーク消防局のチャプレン

を務めました（**写真④**）。

マイカルが、突然人生の歩みを終えた日は、2001年9月11日、68歳でした。

医学的な死因は「頭部への鈍的外傷」とされました。これはマイカルの後頭部に外傷があったためでした。しかし神父の遺体には、もともと目立った外傷はありませんでした。運び出す途中で遺体が一時的に路上に置かれていたとき、南東に続いて北棟が崩壊した際の落下物によって、傷を負ったものと思われます。死因ははっきりしないものの、米国連邦緊急事態管理庁などは心臓発作であるとしており、現在ではこれが最も有力な説となっています。

テロによる破壊の衝撃ののち、WTCの建っていた場所は、一時「グラウンド・ゼロ」（爆心地）または「ワールドトレードセンター・サイト（跡地）」と呼ばれてきました。2014年には、「1（ワン）ワールドトレードセンター」（フリーダムタワー）として再建され、敷地内に犠牲になった方々の名前が刻まれたモニュメントが設けられました。そこに「マイカル・ジャッジ」の名も記念されています（**写真⑤**）。また隣接する「国立9.11記念館・博物館」には、マイカルの遺体が瓦礫の中から運び

出される際の画像のパネルや彼を紹介する記録が展示されて
います。

　マイカルの活動の中心であったミッドタウンサウスにある
「アッシジの聖フランシスコ教会」の聖堂内と、その真向か
いに立つ消防署の入口には、それぞれモニュメントが置かれ
ています。そして「はじめに」でも触れたように、修道院と
消防署のあいだの西31番通りは、「マイカル・ジャッジ通り」
と命名されました（**写真⑥**）。

資　料

『みんな神の家族』― *Part of the Family*

（3番までの歌詞の和訳は本文参照）

（Refrain）

Come in, come in and sit down

You are a part of the family.

We are lost and we are found,

And we are a part of the family.

1　You know the reason why you came

Yet no reason can explain,

So share in the laughter and cry in the pain

For we are a part of the family.

God is with us in this place

Like a mother's warm embrace,

We're all forgiven by God's grace

For we are a part of the family.

2　Children and elders middlers and teens,

Singles and doubles and inbetweens,

Strong eightyfivers and streetwise sixteens,

We are a part of the family.

Greeters and shoppers, longtime and new

Nobody here has a claim on a pew.

And whether we're many or only a few

We are a part of the family.

3   There's life to be shared in the bread and the wine,

We are the branches Christ is the vine,

This is God's temple it's not yours or mine

But we are a part of the family.

There's rest for the weary and health for us all,

There's a yoke that is easy and a burden that's small,

So come in and worship and answer the call

For we are a part of the family.

4   We can be noisy or quiet as mice

Our tempers flare up or we're colder than ice

Sometimes we're grumpy when we want to be nice

But we are part of your family.

We try to be loving but often we find

We're rude when We're saying just what's on our mind
God teach us a way that's both honest and kind
For we are a part of your family.

（4）私たちは騒いだり、ネズミのように静かだったり
怒りを爆発させたり　氷よりも冷たくなったり
良い人になりたくても、不機嫌になることがある
それでも神の家族なのだから
人に親切にしたくても、うまくいかないこともある
思ったことをそのまま話して失礼なこともしてしまう
神は正直で親切になるための道を教えてくれる
みんな神の家族なのだから

Words ©James K.Manley

あとがき

「受けるよりは与えるほうが幸いである」

(使徒言行録20章35節)

　いつのころからだったか記憶していませんが、私はマイカル・ジャッジ神父の4行の祈りを自分の祈りとするようになりました。私が牧師になる任職式で参会者に配布した記念のカードにも、この祈りを印刷したほどでした。またこのころから、礼拝の最後の祝祷の際の「派遣のことば」として用いるようになりました。そうするとさまざまな人たちがこの「祈り」に共感してくれるようになり、知らぬ間にある教会での聖餐[*7]の式文に引用されたり、また英語のウィキペディア（インターネット上の百科事典）の「マイカル・ジャッジ」欄を誰かが翻訳し、日本語で読めるようにもなりました。このたび、アメリカ同時多発テロ（2001年）から20年を迎えるにあたり、日本のもっと多くの人々にマイカル・ジャッジのことを知ってほしい、この小さな祈りをさまざまな場で祈ってほしいという願いから、この本を公にすることにしました。

　アメリカ同時多発テロでは、4回にわたるイスラム過激派の攻

---

*7 キリストの「最後の晩餐」に由来する儀式。「聖餐」という用語はおもにプロテスタントで用いられるが、同様のものはキリスト教各派に見られる。

撃で2,996人が犠牲となり、6,000人を超える負傷者が出ました。乗客を乗せた旅客機2機が、ニューヨーク市にある二つの超高層ビルに激突した事件では、資料で差がありますが2,753人が亡くなり、その中に消防士343人、ニューヨーク市警察官71人、港湾警察官37人が含まれていました。マイカルはそのうちの一人です。さらに後遺症で命を落とした人も多くいます。

本書は、彼一人を取り上げて英雄視したいがために執筆したのではありません。身元が判明した犠牲者の登録としては第1号ですが、航空機の激突で最初に数百人が即死しています。こうした悲劇を生み出す人間の暴力、犠牲者とその関係者の悲しみ、人生で避けえない出来事や思わぬ事故という不条理は今も続いています。本書で紹介した「マイカルの祈り」が、平和と和解の道が世界にいくらかでも開かれるための小さな灯火になってくれたらと願うものです。

マイカルはいつも、「自分は何ができるかを考え、それを実践する人」でした。躍動的なマイカルのその力の源は「信頼」でした。人間や出来事を聖書や教理で理解するというより、実践の中で予期せぬ喜びを発見することを何よりの真実として大切にしました。信頼して一歩踏み出せば、神はなんとかしてくださる、と。それはホームレスの人たちにハンバーガーをごちそうし、「いい夜だね」と言ったときに、また本書では触れませんでしたが、若き日に学校や神学校で虐待を受けていたときに、エイズ患者たち

の病床を見舞ったときに、消防士たちやその家族が示した勇気の中に、マイカルが見出したものだったのでしょう。そして、「互いに受け入れあうこと」の重要性も彼は伝えてくれています。必要とする助けは、神が与えてくださいます。

　司祭に叙階（任命）される前、彼はイギリスに留学していました。ある日のこと、ロンドンに出かけたとき、ゴミ箱の上に一冊の本が置かれてあるのをふと見つけました。それは 14 世紀のイングランドの聖女ノリッジのジュリアンの本でした。そこにこういう言葉が書かれていました。

　「すべてはよくなる。そしてすべてはよくなる。物事のあらゆるさまはよくなる」。

　彼はその後、人々を力づけたり、祈りや説教をしたりする中でたびたびこの言葉を引用しました。マイカルの４行の祈りは、この「すべてはよくなる」という神への信頼と、その楽観性や希望を支える彼の日々の原動力になった、かけがえのない祈りでした。
　今度はこの本を手にしてくださったあなたが、この４行の祈りを自分の祈りとしてくださることを願ってやみません。

　この本の出版に際して快く導いてくださった、あめんどうの小

渕春夫代表、また賛美歌の原詩を提供してくださった大下幸恵さん、訳詞の著作権許諾の交渉に当たってくださった木原いぶきさん（カナダ在住）、表現や訳文などさまざまな助言をくださった編集者の工藤万里江さん、翻訳家の渡邊順子さんに感謝を申し上げます。

2021年、アメリカ同時多発テロから20年の年に

中村吉基

参考文献

1行目の祈り

(1) 小山晃佑『神学と暴力』教文館、2009年 (p.43)

(2) Michael Daly, *The Book of Mychal: The Surprising Life and Heroic Death of Father Mychal Judge.* St.Martin's Press, 2008 (pp.257)

(3) 同 —— (pp.87-88)

(4) 同 —— (pp.92-93)

2行目の祈り

(5) 同 —— (pp.51-52)

(6) Salvatore Sapienza, *Mychal's Prayer: Praying with Father Mychal Judge.* Tregatti Press, 2011 (pp.43-44)

3行目の祈り

(7) Daly, *The Book of Mychal:* (pp.256-257)

(8) 同 —— (p.72)

4行目の祈り

(9) 同 —— (pp.326-327)

(10) 同 —— (pp.331-332)

(11) 同 —— (pp.335-336)

(12) 同 —— (pp.326-327)

(13) 同 —— (pp.337-339)

(14) 同 —— (pp.340)

(15) 同 —— (pp.347-348)

(16) 同 —— (pp.347-350)

著者：中村吉基（なかむら・よしき）

金沢に生まれる。大阪芸術大学文芸学科、日本聖書神学校卒業。
現在、日本基督教団代々木上原教会主任牧師。認定臨床宗教師。
著書『キリストは私たちのただ中に』（ヨベル、2014）
訳書『いのちの水』（トム・ハーパー、新教出版社、2017）等

マイカルの祈り

9.11同時多発テロに殉じた神父の物語

2021年 9 月 11 日　初版発行

著　者　中村吉基
装　幀　吉林　優
発行所　あめんどう
発行者　小渕春夫
〒101-0062 東京都千代田区神田駿河台2-1 OCCビル
www.amen-do.com
電話 03-3293-3603　FAX 03-3293-3605
ISBN978-4-900677-40-1

印刷 中央精版印刷
2021 Printed in Japan

あめんどうの本

■ヘンリ・ナウエン

いま、ここに生きる……生活の中の霊性　　　　太田和功一訳 定価（本体 1,800 円＋税）

イエスの御名で……聖書的リーダーシップを求めて　後藤敏夫訳 定価（本体 950 円＋税）

放蕩息子の帰郷……父の家に立ち返る物語　　　片岡伸光訳 定価（本体 2,000 円＋税）

わが家への道……実を結ぶ歩みのため　　　　　工藤信夫訳 定価（本体 1,500 円＋税）

静まりから生まれるもの……信仰についての三つの霊想　太田和功一訳 定価（本体 900 円＋税）

愛されている者の生活…世俗社会に生きる友のために　小渕春夫訳 定価（本体 1,600 円＋税）

すべて新たに……スピリチュアルな生き方への招待　日下部拓訳 定価（本体 1,000 円＋税）

ナウエンと読む福音書……レンブラントの素描と共に　小渕春夫訳 定価（本体 2,100 円＋税）

■Ｎ・Ｔ・ライト

シンプリー・ジーザス……何を伝え、何を行い、何を成し遂げたか
山口希生・山口秀生訳 定価（本体 2,750 円＋税）

クリスチャンであるとは……Ｎ・Ｔ・ライトによるキリスト教入門
上沼昌雄訳 定価（本体 2,500 円＋税）

驚 く べ き 希 望……天国、復活、教会の使命を再考する
中村佐知訳 定価（本体 2,900 円＋税）

シンプリー・グッドニュース……なぜ福音は「良い知らせ」なのか
山﨑ランサム和彦訳 定価（本体 2,300 円＋税）

神とパンデミック……コロナウィルスとその影響についての考察
鎌野直人訳 定価（本体 1,000 円＋税）

■ヘンリー・クラウド＆ジョン・タウンゼント

二人がひとつとなるために……夫婦をつなぐ境界線 中村佐知訳 定価（本体 2,100 円＋税）

聖書に学ぶ 子育てコーチング
……境界線～自分と他人を大切にできる子に 中村佐知訳 定価（本体 2,000 円＋税）

（在庫状況、定価は変動することがあります）